Copyright © Margaret Davidson, 1964, pour le texte.
Copyright © Ian Andrew, 1985, pour les illustrations.
Copyright © Scholastic-TAB Publications, 1985, pour le texte français. Tous droits réservés.
ISBN 0-590-71544-5
Titre original: Dolphins
Édition publiée par Scholastic-TAB Publications Ltd., 123 Newkirk Road, Richmond Hill, Ontario, Canada L4C 3G5.
1ʳᵉ impression 1985   Imprimé en Espagne

Nos amis les dauphins

Margaret Davidson
Illustré par Ian Andrew

Texte français de Martine Connat

Scholastic-TAB Publications Ltd.,
123 Newkirk Road, Richmond Hill, Ontario, Canada

Ce livre est dédié à Priscilla, le dauphin

Qu'est-ce qu'un dauphin?

Que vois-tu lorsque tu observes un dauphin dans l'eau?
Tu vois un animal avec plusieurs nageoires et une
longue queue.

Si tu penses «C'est un poisson», tu as tort car les
dauphins sont des mammifères marins.

Contrairement aux poissons qui respirent sous l'eau, les dauphins doivent souvent nager à l'air libre pour reprendre leur souffle.

Comment le dauphin respire-t-il?

Le dauphin vient respirer à la surface toutes les trente secondes environ mais peut rester jusqu'à six ou sept minutes sous l'eau en retenant son souffle.

Un trou, appelé «évent», situé sur le dessus de sa tête, lui permet de respirer. Cet évent fonctionne comme des narines.

L'évent est recouvert d'un muscle que le dauphin peut contracter de la même façon que tu contracterais ton poing pour le serrer. Chaque fois qu'il contracte ce muscle, l'évent se referme, empêchant ainsi l'eau de pénétrer dans ses narines quand il nage.

Lorsqu'il revient à la surface pour respirer, il ouvre son évent et laisse entrer l'air en faisant un grand Pff-UUI-t!

Comment le dauphin se nourrit-il?

Le dauphin a de très nombreuses dents, environ une centaine. Elles sont toutes de forme et de taille identiques. Le dauphin s'en sert uniquement pour saisir sa nourriture. Il attrape le poisson et l'avale tout entier, sans le mâcher.

Comment le dauphin voit-il?

Le dauphin a de bons yeux mais il lui est parfois difficile de voir sous l'eau car le fond marin est sombre, trouble et recouvert d'algues.

C'est pourquoi le dauphin se sert si souvent de ses oreilles.

Comment le dauphin entend-il?

Il est très difficile de distinguer les oreilles du dauphin. Ce sont juste deux petits trous de la taille d'une tête d'épingle, placés de chaque côté de sa tête.

Mais cela ne l'empêche pas de tout entendre, des cailloux qui roulent au fond de l'eau au bruit que font les poissons.

Comment le dauphin dort-il?

Le dauphin dort à environ un mètre au-dessous de la surface. Il fait de petits sommes et, toutes les trente secondes environ, balance sa queue de haut en bas. Ce mouvement le ramène automatiquement à la surface pour respirer.

Puis il dérive lentement et sommeille un peu plus en balançant toujours sa queue de haut en bas. Voilà comment dorment les dauphins.

Les dauphins dorment les uns à côté des autres.
Quant aux bébés, ils se blotissent juste derrière les
nageoires de leur maman.

Tous balancent leur queue de haut en bas.

Sur la page de gauche, tu peux voir un groupe de
dauphins endormis.

Les bandes de dauphins

Les dauphins vivent en bandes.

Ils naissent, s'amusent, apprennent et grandissent ensemble. Le moment venu, ils mourront aussi entourés du groupe.

Pourquoi les dauphins vivent-ils ensemble?

Les dauphins ont des ennemis comme les requins ou
les épaulards.

Voici un épaulard...

et un requin.

Si un épaulard approche de trop près, les adultes mâles forment un cercle autour des femelles et des bébés afin de les protéger. Il est ainsi difficile de les attaquer.

L'ennemi attaque!

Lors de combats, les dauphins se défendent en mordant et en donnant de violents coups de tête. Ils peuvent aussi frapper leurs adversaires de leur queue puissante.

Les dauphins vont à la pêche

Les dauphins pêchent ensemble. Voici comment ils s'y prennent:

Toute la bande se dirige près des côtes.

Chacun observe et écoute attentivement.

Si les dauphins trouvent de la nourriture dans les eaux peu profondes, ils s'alignent face à la côte. De cette façon, le poisson se trouve pris au piège avec d'un côté, le rivage et de l'autre, les dauphins.

Au secours!

Un jour, une bande de dauphins s'amusait près d'un gros bateau.

Ils jouaient ensemble en s'élançant dans les airs. L'un des dauphins s'élança si haut et si près du bateau qu'il heurta l'un des côtés et se blessa.

Les passagers du bateau entendirent alors un sifflement
très aigu et très puissant venir de dessous l'eau: le
dauphin blessé appelait au secours.

Les autres dauphins entendirent aussi son appel et
nagèrent vers lui. Hélas, l'animal blessé commençait à
se noyer! Deux dauphins plongèrent dans sa direction.
Ils se placèrent sous le blessé et le poussèrent à la
surface pour lui permettre de reprendre son souffle.
L'animal respira profondément — Pff-UUI-t — et ses
deux amis s'éloignèrent.

Essayaient-ils de voir si le dauphin pouvait nager de
lui-même? Il fit deux tentatives sans succès et à chaque
fois, ses deux amis revinrent près de lui pour l'aider. À
la troisième tentative, l'animal pouvait respirer et nager
tout seul. Les dauphins s'élancèrent dans les airs en
signe de joie, puis s'en allèrent tous ensemble.

Le bébé dauphin et sa famille

Le bébé a aussi besoin des autres dauphins et de sa
maman en particulier. Il ne peut pas vivre tout seul. Le
bébé grandit dans le ventre de sa maman jusqu'au jour
de sa naissance. À ce moment-là, il naîtra la queue en
premier, le ventre et la tête ensuite. Un nouveau-né
vient donc au monde à reculons.

Ceci est très important car lorsqu'il vient juste de sortir
sa petite tête, il doit nager rapidement en direction de
la surface pour prendre sa première respiration.

Le bébé est quelquefois incapable de se diriger à l'air
libre mais sa maman est toujours là pour l'aider. Elle
pousse ou tire son bébé vers la surface en se plaçant
sous lui ou en saisissant l'une de ses nageoires entre
ses dents .

La maman a un rôle très important car elle doit s'assurer
de la sécurité de son petit. Elle peut toutefois compter
sur l'aide de nombreuses amies.

Une ou deux femelles resteront près de la maman et, si c'est nécessaire, aideront le petit à nager jusqu'à la surface.

Lorsqu'un nouveau-né commence à nager, sa maman et une autre femelle se placent de chaque côté pour bien le protéger. Ainsi entouré, le petit est hors de danger.
Le bébé peut parfois se perdre. Il risque alors d'avoir des ennuis, car comme tout petit dauphin, il est bien curieux. Tout l'intéresse: ses semblables, les poissons aux formes étranges et même les requins et les épaulards.

Qu'arrive-t-il quand un bébé se perd?

Sa maman regarde d'abord aux alentours. Si elle ne voit
pas son petit, elle siffle très fort par son évent. C'est un
son très perçant. Elle écoute ensuite attentivement
jusqu'à ce que son bébé lui réponde par un sifflement.

Le dauphin reconnaît le sifflement de sa maman. Dès qu'il l'entend, il s'arrête et nage sur place en décrivant un cercle. Il n'a pas à attendre bien longtemps car sa maman se dirige aussitôt vers lui grâce à son sifflement.

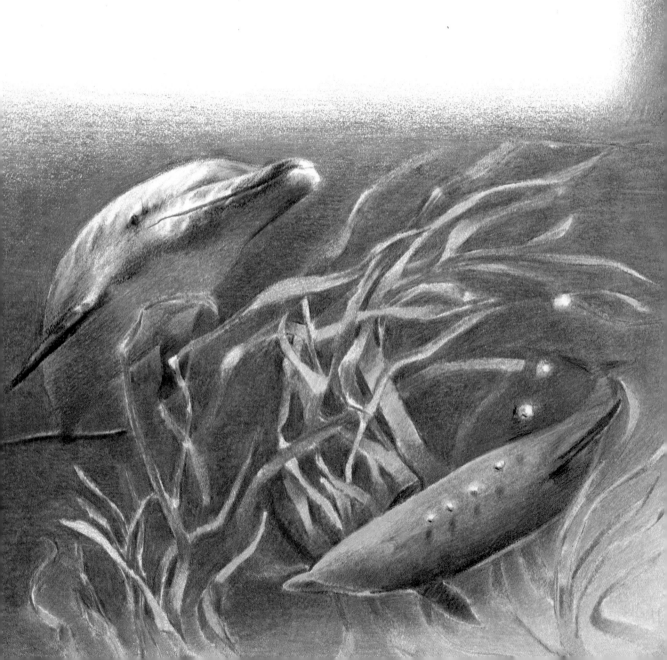

Le mâle joue aussi un grand rôle puisqu'il apprend au petit à se tenir comme il faut. Si le jeune dauphin est un peu trop turbulent ou s'il réveille ou dérange les autres, il est puni pour sa mauvaise conduite. C'est le mâle qui se charge de sa punition.

Il prévient d'abord le petit en ouvrant et fermant sa
mâchoire très rapidement. Il émet de cette façon un
claquement bruyant qui signifie «Arrête!» «Tiens-toi
tranquille!»

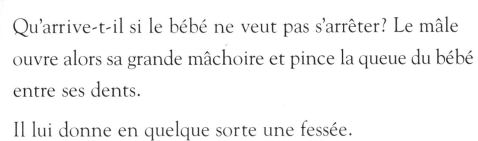

Qu'arrive-t-il si le bébé ne veut pas s'arrêter? Le mâle ouvre alors sa grande mâchoire et pince la queue du bébé entre ses dents.

Il lui donne en quelque sorte une fessée.

Les dauphins et les hommes

Les dauphins nagent parfois près des côtes. Au début, ils ont un peu peur et s'éloignent dès que l'on s'approche d'eux.

Mais si les hommes sont gentils, ils s'habituent à leur présence.

Les dauphins semblent adorer les enfants.

Ils les laissent parfois se hisser sur leur dos pour une petite promenade.

Mais ceci n'arrive pas souvent car les dauphins ne viennent que très rarement près des plages. Alors comment avons-nous tant appris sur eux?

Depuis longtemps, les hommes voulaient savoir comment vivaient les dauphins. Mais sans nageoires ni queue, il leur était difficile de les suivre en mer.

«Si nous ne pouvons pas vivre en mer parmi les dauphins, ont-ils pensé, nous devons les amener sur terre.»

Ils ont donc construit un immense bassin rempli d'eau de mer et y ont placé les dauphins. Ce bassin, qui ressemble beaucoup à un océan miniature, s'appelle un océanarium. Là, les hommes pouvaient étudier plus facilement la vie des dauphins.

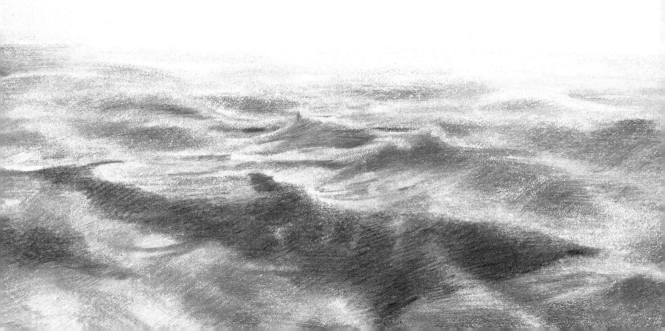

Ils les regardaient jouer seuls ou avec leurs camarades.
Les dauphins adoraient taquiner les animaux marins.

Ils mordillaient la queue des poissons qui passaient ou
enfouissaient leur museau sous la carapace des tortues
pour les faire glisser de leur rocher.

Le dauphins s'amusaient à faire voltiger de petites
plumes à l'aide de leur évent et à se promener, un
anneau autour du museau. Les dauphins jouaient aussi
avec les hommes.

Les hommes ont d'ailleurs toujours pensé que ces
animaux étaient très intelligents et ils leur ont même
appris quelques tours, comme par exemple:

    sonner des cloches avec leur museau,

    éteindre le feu avec leur queue,

    dire bonjour avec leurs nageoires,

    saluer les spectateurs ou faire la révérence,

    ou encore «chanter» en sifflant par leur évent.

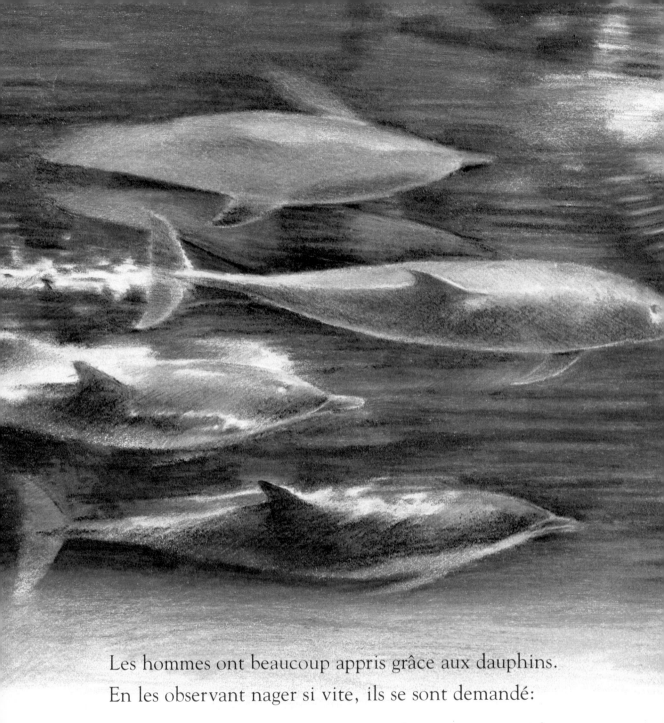

Les hommes ont beaucoup appris grâce aux dauphins.
En les observant nager si vite, ils se sont demandé:

«Comment ces animaux peuvent-ils être aussi rapides
sous l'eau?»

On a trouvé la réponse en étudiant la peau des dauphins.

Le dauphin a une peau très spéciale qui l'aide à se déplacer rapidement. De nos jours, la coque de nombreux bateaux est revêtu d'une couche de caoutchouc qui ressemble beaucoup à la peau des dauphins. Ce revêtement permet aux navires de glisser rapidement sur l'eau.

Les hommes ont aussi observé la façon dont les dauphins pêchaient.

«Comment peuvent-ils pêcher dans une eau si noire et si trouble?» se sont-ils demandé.

La réponse a été trouvée en étudiant les oreilles des dauphins, car souviens-toi, les dauphins entendent très bien sous l'eau.

Ce sont grâce à ces études que l'on a pu améliorer l'équipement qui permet aux hommes des sous-marins d'écouter sous l'eau.

Nous en savons beaucoup sur les dauphins, sur leurs jeux, leurs habitudes et sur leur vie en général.

Nous en apprenons chaque fois un peu plus mais il nous reste encore bien des choses à découvrir.